titeuf

Dieu, le sexe et les bretelles

Du même auteur :

Les trucs de Titeuf :

→ *Le Guide du zizi sexuel*

Par Zep & Hélène Bruller

Éditions Glénat

Les filles électriques.

L'enfer des concerts.

Éditions Dupuis / Humour Libre

Retrouve Titeuf et Tchô! sur internet :
www.glenat.com

Tchô! La collec...
Collection dirigée par J.C. CAMANO

Dépôt légal : décembre 1992
Achevé d'imprimer : juillet 2002
Imprimé et relié en France par *Partenaires-livres®* (JL)

LA FEMME AVEC PAS DE BOULES
WAAAAH !! LES MECS... Z'ALLEZ VOIR ...
LA NANA ! HÉ !
GLP
FAIS VOIR DEDANS !! FAIS VOIR !!
MONT'
PETIEU
HÉ Y'A DES POILS
HA !! HA !! VOUS AVEZ JAMAIS VU ÇA !!
ELLE A MÊME PAS DE SLIP
HÉ !! LES NICHONS !!
PEUH, MA SOEUR A LES MÊMES ...
EN PETIT
PFEUH !! C'EST MÊME PAS DES VRAIES PHOTOS
D'ABORD
HEIN ?
ÇA ?!! C'EST PAS DES VRAIES PHOTOS ?!!
C'EST DU TRUQUÉ.
AH ?!
C'EST MÊME PAS BIEN FAIT ...
Y Z'ONT OUBLIÉ LES BOULES ...
WAAAAH LUI HÉ !! IL CROIT QUE LES FEMMES ELLES ONT DES BOULES !!
BIEN SÛR QU'ELLES EN ONT.. AUTREMENT ELLES POURRAIENT PAS AVOIR D'ENFANTS !!
PÔV' NUL !!
C'EST VRAI, ELLES ONT DES BOULES ET ELLES LES PERDENT VERS TREIZE ANS, MÊME QU'ELLES SAIGNENT VACHEMENT BEAUCOUP ...
BÊÊÊÊH
C'EST POUR ÇA QU'ELLES METTENT DES SERVIETTES
AH LES DÉGUEULASSES !!
ELLES LES PERDENT ... BEN ÇA..
C'EST RÉPU
ALORS LES MECS, VOUS VENEZ JOUER À LA BALLE AVEC NOUS ...
MH ?
?
VOS BALLES, VOUS FERIEZ MIEUX D'Y FAIRE GAFFE QU'ELLES TOMBENT PAS.
OUAIS BIEN DIT
ON SE COMPREND ...
ZEP

MON POTE MANU
CHAIS PÔ QUOI LUI ÉCRIRE
BÔH..
MH..
TES YEUX SONT COMME DES GROS-SES BILLES...
EUH..
NON.
HUM.
J'AI TROUVÉ ! T'AS QU'À LUI FAIRE UN DESSIN !
SUPER !
TU CROIS QUE ÇA VA LUI PLAIRE ?
DE TOUTES FAÇONS ÇA PEUT PAS ÊTRE PIRE QUE SI T'ÉCRIS.
CRITCH CRITCH
OUAH
SUPER
MAIS LES YEUX SONT TROP PETITS ...
TROP PETITS ?
SÛR !
ILS VONT ÊTRE ÉNOR-MES ...
MAIS NAN ... J'T'ASSURE, TU TE RENDS PAS COMPTE
ELLE SERA FLATTÉE
OUBLIE PAS LES PIEDS.
LES PIEDS ? MAIS JE LES AI FAITS !?
ON LES VOIT PRESQUE PAS... ELLE TIENT PAS DEBOUT !
SÛR !
'FAUT CHANGER TES LUNETTES !
NAN, C'EST IMPORTANT POUR LES FILLES... LES PIEDS
C'EST MON PÈRE QUI L'A DIT
OUAIS BEN C'EST PU TRÈS RESSEMBLANT ...
SI ! SI ! C'EST SUPER !
RAJOUTE DES NA-RINES ET C'EST DANS LA POCHE
WAH !
ELLE VA CRAQUER
C'EST PAS DRÔLE DU TOUT.. CELUI QUI A MIS CETTE HOR-REUR SUR MON PUPITRE MÉRITERAIT UNE BONNE BAFFE...
IL A MÊME PAS SIGNÉ LE LÂCHE !
BERK
C'EST MOCHE
OUAH
WAF
OUAH
HÉ HÉ
ARK
JE T'AVAIS DIT DE FAIRE LES YEUX PLUS GROS...
HEM
GLP
PIPI

LE CONCOURS DE CELUI QUI PISSE LE PLUS LOIN
WC
FCHHH
FCHHH
AGLOU AGLOU GL
GLO GLO GLO GL
GBLL AGLOU AGLBL GBLOLB BLGBL
AGLOU GBLL
FLBLLG GLOUBL
BL GBLLL BLL
MONSIEUR TITEUF...
... QU'EST-CE QU'ON FAIT DANS LES COULOIRS PENDANT LA PAUSE ?
AA
SNF
BEN... VAS-Y... C'EST TON TOUR ...
ZIP

LE COURS DE DESSIN
AUJOURD'HUI LES ENFANTS VOUS ALLEZ DESSINER VOTRE PORTRAIT
mardi : dessin
OOOH
CHIC
AAAH
BÔÔÔH
OUAIIS
HÉ ! TRICHEUR ! T'AS PAS L' DROIT DE COPIER.. C'EST PAS TON PORTRAIT !
D'ABORD
GNA GNA GNA
ET PIS, EN PLUS, T'AS OUBLIÉ TES GROSSES BINOCLES !
SCRIT
SCRIT
SCRIT
ET TOI, TES TACHES DE ROUSSEUR DÉBILES !
PAF
STUD
STUD
STUD
STUD
OUAIS MAIS SUR LE TIEN, IL FAIT NUIT !
VOILÀ
ZAK
ZAK
BEN SUR LE TIEN... IL PLEUT !
ET T'AS UN TROISIÈME OEIL
T'AS UNE ZÉZETTE POILUE
TWI ! TWI !
TWI
TWI
TWI
TWI
OOOOOOOOH C'EST MAGNIFIQUE !!
LÀ-DESSUS, ELLE NOUS A FÉLICITÉS PARCE QU'ON AVAIT MIS BEAUCOUP D'ÉMOTION ET MANU ET MOI ON A EU UN 10...
10
QUAND MANU ALLAIT EN VACANCES EN ESPAGNE ÇA M'AURAIT PAS ÉTONNÉ QU'IL SOIT PASSÉ EMBÊTER MONSIEUR PICASSO.

LE PÉPÉ À LUDO
Á DEMAIN, LES ENFANTS.. ET N'OUBLIEZ PAS D'ÊTRE GENTILS AVEC LUDO .. IL VIENT DE PERDRE SON GRAND'PÈRE ...
PÔV' LUDO
OUAIS
MOI AUSSI MON GRAND-PÈRE IL EST MORT ...
C'EST VRAI ?
EN FAIT, C'ÉTAIT LE GRAND-PÈRE DE MON VOISIN ...
IL ÉTAIT GRUTIER
IL EST TOMBÉ DE 80 MÈTRES
SPLATCH
C'EST COMME MOI...
J'AI VU UN TYPE DANS LE JOURNAL OU À LA TÉLÉ ...
ENFIN ...
IL DORMAIT DANS UN PRÉ ET ALORS IL Y AVAIT UN JARDINIER MYOPE QUI PASSAIT LA TONDEUSE ....
ROOOAARR
DES MORCEAUX PARTOUT !!
C'EST COMME MOI !..
LE FRÈRE DU CONCIERGE !..
UN TYPE
DÉVORÉ PAR SON TECKEL !
POUM !
LE COUSIN DU FACTEUR
... COINCÉ DANS UNE PRESSE HYDRAULIQUE
UN MEC EN AMÉRIQUE ...
DU DÉCAPE FOUR DANS SA BIERE
IL ESSUYAIT LES PALES D'UN HÉLICOPTERE ... ZAK ! ZAK !
SPROT H
DANS LE MICRO-ONDES
ET TOI, LUDO AU FAIT .... IL EST MORT COMMENT TON PÉPÉ ?
MOI ?
BEN ...
IL EST MORT DE VIEILLESSE ...
BOUAH
QUEL RINGARD.
LE NUL.
TSSS

DIEU
BON.. ON Y VA.. JE LE DÉCROCHE, TOI, TU SURVEILLES ...
ON VA SE FAIRE ENGUEULER ...
T'AS ENTENDU LA PROF... C'EST UN BON TYPE... ALORS ON PEUT PAS LE LAISSER CLOUÉ LÀ ...
N'EMPÊCHE.. ON VA SE FAIRE ENGUEULER...
T'INQUIÈTE ... C'EST NOUS QU'ON A SAUVÉ JÉSUS.. MAINTENANT, DIEU IL NOUS A À LA BONNE.
TU CROIS ?
SÛR ! APRÈS LE SERVICE QU'ON LUI A RENDU IL PEUT PLUS RIEN NOUS ARRIVER !
WAAAH !
À LA LIMITE.. DIEU I' NOUS SAUVERA DE L'ÉPREUVE DE MATHS DE MARDI ?
À LA LIMITE.
VOYOUS !! MON CRUCIFIX !!
ARRÊTEZ-VOUS TOUT DE SUITE !!
MERDE ! LE CURÉTON !
VITE !
DIS DONC, CE SERAIT PAS LE MOMENT DE FAIRE QUELQUE CHOSE POUR NOUS SAUVER ?
OUI... VITE ! UN PETIT MI...
..RACLE.
BOUF
je suis un garnem
50 x
PARDONNE-LEUR, ILS NE SAVENT PAS CE QU'ILS F
TA GUEULE !

LES FILLES D'ABORD C'EST LES PLUS BÊTES
HI HI HI HI HI
ÉCOLE
C'QU'ELLES SONT BÊTES, LES FILLES ...
OUAIS
TU SAIS POURQUOI C'EST LES PLUS BÊTES, LES FILLES ?
BEUH.. NON.
BEN.. DANS LE VENTRE DE LA MAMAN, SI LE CERVEAU EST ASSEZ GROS C'EST UN GARÇON... AUTREMENT, C'EST UNE FILLE..
LA VAACHE
C'EST MON PÈRE QUI L'A DIT
REGARDE.. ELLES SE COURENT APRÈS RIEN QUE POUR QU'ON LES REMARQUE ...
AH ?
HI HI HI HI HI
TU VOIS VRAIMENT RIEN, TOI... NATHALIE EST AMOUREUSE DE TOI
C'EST MÊME PAS VRAI !!
SI ! MÊME QU'ELLE VEUT SE MARIER AVEC TOI
C'EST PAS VRAI !
C'EST PAS VRAI !
T'AS PAS L'DROIT DE DIRE ÇA !
C'EST TON AMOURE
TA GUEULE
TON AM...
NAN !
T'AS VU NATHALIE.. Y'A TITEUF ET MANU QUI SE BATTENT ...
'SONT NULS
PENG
BUNK
FRAPPE
BEIGNE
TU SAIS POURQUOI C'EST LES PLUS BÊTES, LES GARÇONS ?
BENG
ZEP

POLICE
ZEP + VALOTT

LA DISTANCE DU PIED AU CUL
?
SPLOU
UN ... DEUX .. TROIS ..
FLOTCH !
QU'EST-CE QUE...
JE CALCULE LA DISTANCE ENTRE LA HAUTEUR DE LA FENÊTRE ET LE SOL ...
C'EST DE LA SCIENCE
?
C'EST FACILE.. TU CRACHES ET PIS TU COMPTES LES SECONDES AVANT QUE ÇA TOUCHE LE SOL... TU MULTIPLIES PAR DIX ...
ET APRÈS, ÇA TE DONNE LES MÈTRES !
WAAAH !
C'EST DINGUE !
J'ESSAYE !
SPLOU
UN ... DEUX ..
TR... !?
SPLATCH
MERDE ! LE CRÂNE DU CONCIERGE !
AÏE !
TU VEUX SAVOIR COMBIEN DE COUPS DE PIED AU CUL ? FACILE... TU MULTIPLIES LE NOMBRE DE SECONDES PAR DIX ET...
TOI ALORS ...
EPICERI

L'ACCRO
NOUS APPRENONS LA MORT DE BOB MURRAY, CHANTEUR DU GROUPE PINK PURPLE, DÉCÉDÉ HIER SOIR À LA SUITE D'UNE CRISE CARDIAQUE...
CRISE CARDIAQUE, TU PARLES... IL EST MORT PARCE QU'IL FUMAIT DE LA DROGUE COMME TOUS LES DROGUÉS.
C'EST MON PÈRE QUI L'A DIT
I' FUMAIT SÛREMENT DU SCHMIT.
DU SHIT.
LE SHIT, C'EST RIEN! CE QUE TOUTES LES VEDETTES PRENNENT, C'EST DES LIGNES DE COKE!
DES LIGNES D'OEUFS-COQUE ?
...
LZ'Y PRENNENT AVEC UNE PAILLE ET APRÈS ILS PLANENT... COMME ÇA, ILS DEVIENNENT DES STARS..
OUAIS
DIIIIIIINGUE
MAIS ATTATION, S'ILS EN PRENNENT TROP, APRÈS ILS SONT ACCRO, ILS ONT LES MAINS QUI TREMBLENT ET PIS, ILS BAVENT..
OUAH! MOI, MON PÉPÉ, IL EST ACCRO!
ÇA ALORS ?
DIS DONC, IL EN SAIT DES CHOSES, FRANÇOIS... TU CONNAISSAIS, TOI, LA LIGNE DE COKE?
OUAAH BIEN SÛR!
QUI M'A MIS UN @*! PAREIL DANS LE FRI...
TITEUF!
TI...?!
C'EST... C'EST PAS C'QUE TU CROIS, M'MAN!!
REGARDE MES MAINS. CHUS PAS ACCRO!
ZEP & CHAPPATTE

LE PSYCHOLOGUE
LES ENFANTS, JE VAIS VOUS PROPOSER UN TEST... IL N'Y A PAS DE NOTES AFIN DE NE PAS VOUS TROUBLER..
SOYEZ VOUS-MÊMES
POUR COMMENCER : DESSINEZ UN ARBRE.
BON.
HÉ ! FAIS GAFFE ! IL EST RATÉ TON ARBRE !
PCHTT ! NON NON ! VOUS NE DEVEZ PAS INTERVENIR DANS LE DESSIN DE L'AUTRE !
OUAIS MAIS HÉ.. IL VA AVOIR ZÉRO
AVEC LA GUEULE DE SON ARBRE
C'EST PAS D'SA FAUTE SI IL DESSINE COMME UNE PATATE !
PUISQU'IL N'Y A PAS-DE-NOTES !
BON ! GRMPH !... TEST SUIVANT... VOICI UNE TACHE D'ENCRE... À QUOI VOUS FAIT-ELLE PENSER ?
ÉCRIVEZ
un nuage
SCRITCH SCRITCH
T'ES NUL, C'EST PAS UN NUAGE... C'EST TOI AVEC TES BINOCLES.
HEIN ?
MAIS ENFIN, REGARDE... Y'A TON GROS PIF.. Y'A TA...
C'EST UN NUAGE !
SILENCE !
C'EST LA GUEULE À MANU QU'ON UTILISE !!
C'EST UN NU-AGE !
C'EST PAS VRAI ! C'EST UNE NÉVROSE OBSESSIONNELLE !!
TU VAS VOIR TA GUEULE !
LA TIENNE !
TITEUF ! QU'EST-CE QUE TU AS ?
LES NERFS ROSES D'OBSÉDÉ PROFESSIONNEL !

PLUS TARD
J'VEUX PAS ETRE UN HÉROS
VOUS EN FAITES PAS, LES GARS... ON LES AURA CES CHINKS!
BR
OUAA!
FEU! TAK TAK TAK
WEEEH
TAK TAK T
GLPS
COMMANDANT, NOUS RISQUONS DE TUER DES CIVILS!
BAH! POUR MOI IL N'Y A QUE DES ENNEMIS
MON BÉBÉ! NON!
OUIN
TAK TAK TAK
AGH
BROOM
TITEUF QU'EST-CE QUE TU FAIS?
JE TRANSFORME MES PETITS SOLDATS EN PETITS JARDINIERS!
BRICOLE
11

TCHERNOBYL
LA GYM AVEC LES FILLES C'EST NUL !
MOI JE TROUVE ÇA BIEN ...
SURTOUT PARCE QU'IL Y A NATHALIE HA ! HA !
T'ES CON
HIN
M'EN FOUS D'ABORD, DE CETTE ...
OUAIS, OUAIS
TITEUF TU VIENS !!
MAMAN ! C'EST TCHERNOBYL !! SI LES FILLES SENTENT ÇA...
TITEEEEEUF !
FUIR !
LA FENÊTRE !
ON VA COMMENCER !
HOP
ET HO.. !?
SPROTCH
M...
TITEUF ! ON SE DÉPÊCHE !!
AH ! LE VOILÀ ! QU'EST-CE TU FAIS LÀ !?
ALLEZ HOP !
UNE OPÉRATION POUR CHANGER DE VISAGE !?? ÇA NE VA PAS, TITEUF ?
TSSS

LES BRETELLES ANTI-GRAVITÉ
CE JOUR-LÀ, IL M'ARRIVAIT DEUX TUILES...
DONG
DONG DONG
J'ÉTAIS EN RETARD...
ET MAMAN M'AVAIT ACHETÉ DES BRETELLES.
MES COPAINS, CES IGNARES...
N'Y VOYAIENT QU'UNE UTILITÉ HUMORISTIQUE...
SHLAK
JE DUS LEUR EXPLIQUER
ÇA SERT QUE LES PANTALONS Y TOMBENT PAS.
WAAAH
ÇA FAIT VACHEMENT PEUR HÉ
HÉ TITEUF ! C'EST MAGIQUE ! MOI, MES PANTALONS TIENNENT SANS BRETELLES !
OUAAH ! LES MIENS AUSSI !
J'AVAIS SUBITEMENT LE SENTIMENT D'ÊTRE TROMPÉ... POURQUOI ÉTAIS-JE LE SEUL EMBRETELLÉ DE MA CLASSE ?
gravité
traction des bretelles
terre
UNE EXPLICATION PHYSIQUE NE ME SUFFIT PAS...
JE DEVAIS EN AVOIR LE COEUR NET.
COMME DISAIT PAPA "RIEN NE VAUT L'EXPÉRIENCE"
AAAH
JE RENTRAI À LA MAISON TOUT CONTENT DE RASSURER MES PARENTS : JE POUVAIS VIVRE SANS BRETELLES !
LA GRAVITÉ EST LA MÊME POUR TOUT LE MONDE
TRALA LÈREU
ILS M'ONT COLLÉ UNE FESSÉE ET AU LIT SANS TÉLÉ.
C'EST PÔ JUSTE
VOUS Y COMPRENEZ QUELQUE CHOSE, VOUS ?

LE CHANT

LE VENDREDI, ON APPREND DES CHANSONS...
FRÈÈREUUU JAACQUES
..MOI, JE ME METS TOUJOURS À CÔTÉ DE RAMON...
JAACQUEU
..IL COMPREND PAS TRÈS BIEN LE FRANÇAIS...
RÔTEZ-VOUS?
RÔTEZ VOUS
...MAIS IL ADORE CHANTER..
SUCEZ DONC LA PINEUUU
SUCEZ DONC LA PINE
..IL FAUT DIRE QU'IL A UNE BELLE VOIX..
À KING-KONG
À KING KONG
..ON LA REMARQUE TOUT DE SUITE...
DING ENG DONG
DING
À KING KONG
RAMON! VEUX-TU BIEN VENIR ICI ?!
MOI? MA..QUÉ?
ON T'ÉCOUTE... VAS-Y!
MA...
GÉNIAL!..
RÔTEZ-VOUS? RÔTEZ VOUS? UCEZ DONC LA PINEUUUU SUCEZ DONC LA
ÇA SUFFIT!
JE SUPPOSE QUE TU NE COMPRENDS MÊME PAS LES PAROLES?
MA... PAS TOUZOURS...
PORQUÉ PARFOIS TITOF IL CHANTE TROP DOUCEMENT..
..SALAUD D'ÉTRANGER.
ORMEZ-VOUS ORMEZ-VOUS

Poil aux billes
HÉ ! T'AS PAS LE DROIT DE PRENDRE CES BILLES... ELLES SONT À MOI
D'ABORD
ÉCOLE
JE LES AI GAGNÉES... T'ES UN MAUVAIS PERDANT !
TOI T'ES UN TRICHEUR ! CACA POURRI !
TRICHEUR TOI-MÊME... PÔV' NUL !
COUILLON !
'ROUDUC' !
CASSE-TOI... BOUSEUX !
CROÛTE AU NEZ !
SAUCISSE QUI PUE !
SLIP TOUT JAUNE !
ZIZI MOISI !
PLEIN DE CACA !
PÉDALE !
GUIDON !
WAHAHA TU SAIS MÊME PAS C'QUE ÇA VEUT DIRE 'PÉDALE'..
SI ! JE L'SAIS !
LES PÉDALES, C'EST LES MESSIEURS QUI S'EMBRASSENT SUR LA BOUCHE !
ET TOC !
BEMP
T'AS PAS L'DROIT DE DIRE ÇA !
C'EST DÉGUEULASSE !
'M'EN FOUS.. J'AI RÉCUPÉRÉ MES BILLES ...
PÉDALE ! PÉDALE ! PÉDALE !
HÉ TITEUF !
WAH ! LA GUEULE ! T'ES TOMBÉ À VÉLO ?
17
HA-HA.. À VÉLO.. TRÈS DRÔLE !
ESPÈCE DE GUIDON QUI EMBRASSE LES BILLES DES MESSIEURS !
?
?
?
8
ZEP

MILOS
TAKTAK TAK
AAARG
HORREUR ...UN BOMBARDIER !
VROOOOO
BADOM
AAAAARG
DRRRRRRRRRRRA
GLOUK
PFEW!PFEW!!
SGREUU
BANG
AAARG
DRRA
RÂL
VOTRE PETIT CAMARADE CROATE MILOS A QUITTÉ NOTRE CLASSE... SA FAMILLE D'ACCUEIL A DÉCIDÉ DE L'INSCRIRE DANS UNE AUTRE ÉCOLE....
OOOOOOOOOOOOH

éducation
sexuell
alpes
la mer
X
mag

LE GRAND MYSTÈRE
WAF
WAHAHAHARK!
TOI TU SAIS MÊME PAS C'QUE ÇA VEUT DIRE "FAIRE L'AMOUR"?
HA HA WAF HA YUK WAF HA ARK
FAIRE L'AMOUR?
FAIRE L'AMOUR?
FAIRE L'AMOUR?
FAIRE L'AMOUR?
FAIRE L'AMOUR?
DIN DON DIN
OUI TITEUF?.. TA QUESTION?
JE VOUDRAIS SAVOIR COMMENT VOUS FAITES L'AMOUR...?
T'AS VU... MÊME LA MAÎTRESSE, ELLE SAIT PAS...
ET TOC!

DU SEXE ET DE LA VIOLENCE
WAAH! LES AMOUREUX !
HIIINN ILS SE DONNENT LA MAIN COMME DES PETITS
TCHEU LA HONTE !
T'ES CON
C'EST PARCE QU'ILS S'AIMENT ...
FOUTEZ-LE CAMP, LES MIOCHES !
ON VEUT ÊTRE TRANQUILLES !
PCHHT
NON MAIS... IL A UN PET DE TRAVERS 'CUI-LÀ ?...
... LE TROTTOIR EST À TOUT LE MONDE, D'ABORD
HÉ! ILS SE SONT CACHÉS LÀ-DERRIÈRE.. ON LES ESPIONNE ?
MF
MMMMMH
POURQUOI IL LUI LÈCHE LA BOUCHE COMME ÇA? ÇA DOIT AVOIR UN DRÔLE DE GOÛT?
SURTOUT SI ELLE A MANGÉ DE LA RATATOUILLE COMME CHEZ MOI ...
MAIS COMMENT ELLE PEUT RESPIRER ?.. ELLE VA ÉTOUFFER !
C'EST POUR ÇA QU'IL LUI ENLÈVE SON PULL ...
MMF
IL FAUT FAIRE QUELQUE CHOSE... ELLE VA S'ASPHYSQUER ...
OUAIS
LÂCHE-LA !! LAISSE-LA RESPIRER !
!?
QUE?
TITEUF, TU ME FAIS UN BISOU ?
BUÊÊK!
ZEP

NADIA
... NADIA, C'EST LA PLUS BELLE...
C'EST PÔ JUSTE !
ELLE A QUELQUE CHOSE DE DIFFÉRENT DES AUTRES...
C'EST SARAH QUI ME DEMANDE UN TRUC...
C'EST PEUT-ÊTRE SON COLLIER DE PERLES EN VRAI PLASTIQUE...
ET C'EST MOI QUE LA MAÎTRESSE APPELLE...
MME BIGLON LUI AVAIT COLLÉ UNE PUNITION ...
"MAIS C'EST PAS MOI" JE LUI DIS...
.. C'EST VRAI QU'ELLE CAUSE TOUT LE TEMPS ...
"JE NE BAVARDERAI PLUS PENDANT LES COURS" CINQ PAGES !
CINQ PAGES ! POUR DEMAIN BOUHOUHOUHOUOU
... MAIS MOI JE CRAQUE
PLEURE PAS... JE T'EN FERAI UNE...
T'ES CHOU TITEUF !
SMUK
JE VAIS TE DONNER UN CADEAU..
JE..
GARDE CETTE PERLE EN SECRET.. ÇA VEUT DIRE QUE J'OUBLIERAI JAMAIS C'QUE T'AS FAIT POUR MOI
WAOOOOUH !
LES MEEECS !
DEDCHEU ! QUEL GRAND COEUR !
JE ME DISAIS AUSSI QUE SON COLLIER AVAIT RETRÉCI ...
JE ME DEMANDE QUEL IMBÉCILE ELLE VA TROUVER POUR LA 5EME PAGE.. ?

COMMANDANT TOPGUN
VROOO
ATTENTION COMMANDANT ! LES VIETS VOUS COLLENT AU TRAIN !
COMPRIS- OVER-
MACH 12 !
UN PIQUÉ DANS LE CANYON DE LA MORT ET JE LES SÈME !
WAOOOON
COMMANDANT ! REPRENEZ DE L'ALTITUDE... VITE !
VROOONN
LES FACES DE CITRON SONT JUSTE DERRIÈRE !
HORREUR ! C'EST LE VOILE NOIR !
JE... JE SUIS PERDU !
HELL !
MAIS NON ! LE COMMANDANT SE REDRESSE À LA DERNIÈRE SECONDE (AU PRIX D'UN EFFORT SURHUMAIN)
GOSH ! J'AI CRU QUE MES POUMONS ALLAIENT ÉCLATER !
DAMNAIDE !
WOOOOON
ON FONCE SUR L'ENNEMI EN PIQ...
TAK
WAHIE !
ALORS, COMMANDANT TOPGUN .... CETTE MISSION ?
OVER.

BUBULLE ET LA GRANDE ÉVOLUTION
VOUS VOYEZ SUR CE DESSIN COMMENT LE POISSON S'EST TRANSFORMÉ EN BATRACIEN PUIS EN MAMMIFÈRE...
... EST DEVENU ENSUITE UN SINGE ET ENFIN UN HOMME !
C'EST DES CONNERIES
NAN JE T'ASSURE... AVANT ON ÉTAIT DES SINGES... C'EST PAS DES BOURRES ...
C'EST DÉBILE
SI ÇA SE TROUVE, TON ARRIÈRE-GRAND-PÈRE C'ÉTAIT UN SINGE ET SON GRAND-PÈRE UN POISSON ... APRÈS, IL A EU DES PIEDS QU'ONT POUSSÉ ET...
GLP
TOUT ÇA, C'EST L'ÉVOLUTION... ON S'ADAPTE... P'TÊT' DANS CENT ANS ON AURA DES ANTENNES SUR LA TÊTE...
ÇA ALORS !
FLOUCH
BWAAAAH !
BUBULLE EST UN INADAPTÉÉÉÉ !
BEP & OLIVER

LA SURPRISE
?
QU'EST-CE QUE C'EST ?
"pour Titeuf"
?
C'EST PÔ LOURD ...
ÇA SE CASSE PAS ...
CHIKA
CHIKA
CHIKA
C'EST MOU
GNIK
GNIK
C'EST ÇA !
!!!!...
MIAREERGHH
TU AS VU TON PETIT CHAT ?
... EN PELUCHE, J'AVAIS DEMANDÉ ..

MONSIEUR LÉONARD
C'EST AUJOURD'HUI
AÏE!
CHOMP CHOMP
IL PARAÎT QU'IL EST ARRIVÉ CE MATIN AVEC LES MAINS QUI TREMBLAIENT ENCORE PLUS QUE D'HABITUDE ...
AÏE! AÏE! AÏE!
ÇA VA ÊTRE LE CARNAGE .. ET TOI... TOI, TU MANGES UNE BANANE!!
KIPE COULE
CHUMP
Y'A PAS DE QUOI S'INQUIÉTER... JUSTE UNE PETITE COURSE À FAIRE...
CHOMP
?
?
SALLE DES MAITRES
VOI-LÀ
?
?
MONSIEUR LÉONARD !!
QUOI? QUOI? QUOI? MÊME PLUS LE TEMPS DE FINIR MON CA...
FÉÉÉÉÉ
ZZZZZIP
CRASH
LE DOCTEUR LÉONARD NE POURRA PAS VENIR AUJOURD'HUI... IL S'EST MALENCONTREUSEMENT CASSÉ LA JAMBE... LE VACCIN EST DONC REPORTÉ À ....

MÉDIUM
AH!
COUCOU
TU OSES VENIR EN SOURIANT AVEC UN CARNET PAREIL !?!
DANS TA CHAMBRE! TOUT DE SUITE !!!
TES HISTOIRES DE TRANSMISSION DE PENSÉE ...
MON ŒIL !
C'EST TOUT DES CONNERIES!
?

ABRACADABRA
HÉ LES MECS ! DEVINEZ CE QUE J'AI REÇU POUR MON ANNIVERSAIRE !
UN GAMEBOY
UN PIN'S
UN S
UNE VIDÉO DE CICCOLINA
PAS DU TOUT ! UNE VRAIE BAGUETTE MAGIQUE !
AH ?
DOMMAGE
REGARDEZ : RIEN DANS LA MAIN...
ABRRACADABRRRRA
POP
ET VOILÀ.
WAAAAH !
IL EST NUL, TON TOUR... UN MAGICIEN IL FAIT PAS ÇA.. AVEC SA BAGUETTE IL FAIT DISPARAITRE DES TYPES, IL COUPE DES FEMMES EN DEUX, IL FABRIQUE DES LAPINS
EH BIEN ESSAYE PUISQUE TU SAIS TOUT !
FACILE ! JE VAIS FAIRE UN TOUR QUE J'AI VU SOUVENT... MANU, METS-TOI DANS CETTE POUBELLE...
QUOI ?
MAISOUAISMAIS HÉ ! C'EST PAS DANGEREUX, AU MOINS ?
T'INQUIÈTE... AU PIRE TES MOLÉCULES DISPARAISSENT À JAMAIS DANS LE COSMOS...
FRANÇOIS, PRÊTE-MOI TA CHAÎNE À CADENAS...
HOP ! JE JETTE LA CLÉ !
HÉ !?
OOOOO
OOOOOO
OOOOOOOOH
T'ES CON
ET MAINTENANT : HOKUS POKUS SORS DE LÀ, JE LE VEUX !
ZAAAM
AU S'COURS !
JE SUIS TOUJOURS DEDANS... J'PEUX PAS SORTIR !
BOM
BOM
BOM
C'EST CON.. ÇA DOIT ÊTRE LA BAGUETTE QU'A UN DÉFAUT...
TITEUF !!
DÈS QUE JE SORS, JE TE CASSE LA GUEULE !
T'AS PÔ INTÉRÊT.. SINON J'TE CHANGE EN LAPIN....

NISTE
SOLDES
SON ORTHOGRAPHE L'A TRAHI.
le principale ait un gros con
ZEP & CHAPATTE

LES HISTOIRES
IL ÉTAIT UNE FOIS UN PETIT POUSSIN QUI AVAIT PERDU SA MAMAN. IL ALLA VERS LE BOIS ET IL A VU LE LOUP ET LE LOUP IL NE L'A PAS MANGÉ.
TRÈS BIEN CORINNE.
IL ÉTAIT UNE FOIS UN PETIT ENFANT QUI FAISAIT DE LA PEINTURE. SA MAMAN LUI DIT : ARRETE C'EST LE MOMENT DE MANGER, IL A ARRETÉ.
C'EST TRES JOLI, MASSIMO.
IL Y AVAIT UN LAPIN QUI AIMAIT LE CHOCOLAT MAIS À LA FIN LE LAPIN IL EST DEVENU GROS ALORS ON L'A TUÉ POUR FAIRE UN LAPIN EN CHOCOLAT.
CHARMANT NADIA..
C'EST UN MONSIEUR IL ÉTAIT TELLEMENT GRAND QU'IL POUVAIT PLUS PASSER LES PORTES ALORS SA MAMAN LUI A DIT IL FAUT COUPER TA TÊTE... ALORS IL EST MORT.
ÔÔÔÔH C'EST TRISTE, FRANÇOIS...
HA HA HA
C'EST UN MONSSSS... VA À LA PÊCHHHHH... DIT À
BRAVO LUDO! TU FAIS DES PROGRÈS!
HA HA PFFFT
C'EST LA MONSIEUR IL A GENTIL AVEC LES ENFANTS ALORS ILS LA DONNENT UN BOUQUÉ DE VIOLÉS.
VIOLETTES RAMON!
HA HA WAF HA PFRT
C'EST UNE PRINCESSE QUI HABITE TOUT EN HAUT D'UN CHÂTEAU ET ALORS LE PRINCE CHARMANT IL PEUT PAS ALLER L'EMBRASSER ALORS IL FAIT POUSSER UNE FLEUR JUSQU'À ELLE.
C'EST SI MIGNON, NATHALIE
IL ÉTAIT UNE FOIS AVEC EXTERMINATOR ALORS IL VOIT DEMONIAK ET IL LUI ENVOIE UN MÉGALASER APRÈS DEMONIAK IL EST DETRUIT DANS TOUTE LA GALAXIE!
IL LE BRÛLE À 100'000 DEGRÉS
IL LUI ARRACHE LA TÊTE!
MOUI.. MANU...
À TON TOUR, TITEUF.
IL ÉTAIT UNE FOIS UN MONSIEUR QUI DEMANDE "COMMENT ON RECONNAÎT UNE VIEILLE PÉDALE?" ...
?
ET UN AUTRE IL RÉPOND "C'EST CELUI QUI PEUT S'ASSEOIR SUR UN PETIT SUISSE SANS L'ÉCRASER".
?
BEN TON HISTOIRE ELLE A FAIT RIGOLER PERSONNE À L'ÉCOLE!!

RZZZ
CLAC
SORCIERE
SNAP
SI LE COURS D'HISTOIRE T'ENDORT... TU PEUX SORTIR!!

LE CARTABLE
TITEUF! C'EST L'HEURE! PRÉPARE TON CARTABLE!
OUI MAN
BON.
D'ABORD MON RECTIFICATOR
MA CASQUETTE DES "LAKERS"...
QUELQUES CHIPS POUR LA RÉCRÉ...
SHAK
SHAK
SHAK
LA CASSETTE VIDÉO À MANU..
GNN
FRPP
DEUX-TROIS BÉDÉS..
CROUTCH
TU ES PRÊT ?!
VOILÀ VOILÀ
TU TE MOQUES DE MOI ?! TU N'AS MÊME PAS PRIS TON LIVRE DE DEVOIRS!
DEVOIRS
BEU
DEVOIRS
DIS DONC.. ÇA LEUR FERAIT MAL DE LE FAIRE PLUS PETIT CE SATANÉ BOUQUIN ?
ILS NOUS PRENNENT POUR DES MULETS OU QUOI...?!

LES MATHS
2×2 = 4
3×3 = 9 ...
IMPRIMERIE
4×4 = 16
5×5 = 25
6×6 = 36 ...
SOUNDS
... 6×7 = 42
7×7 = 49
8×7 = ...
BONNES RAISONS
DE LUI OFFRIR
Balconet
QUOI?!!
CINQ FOIS HUIT
ET TU AS RÉPONDU
DEUX ?!!!
MAIS...
PA...

DR. RAYON X
À VOTRE TOUR...
VAS-Y TITEUF... JE T'ATTENDS ICI...
GARDE TON SLIP ET TON T-SHIRT... ON VA PASSER À CÔTÉ...
ANCHE CIVO
AU SECOURS! J'VEUX PAS ALLER À TCHERNOBYL!
LAISSEZ-MOI SORTIR!
OUIN!
BOM
BOM
!?
ALLONS TITEUF... IL N'Y A AUCUN DANGER... TU NE RISQUES RIEN DU TOUT!
DU CALME
J'VEUX PÔ QU'ON M'ATOMISE!
OUIN
TU SAIS, LA RADIOGRAPHIE A BEAUCOUP ÉVOLUÉ DEPUIS L'ÉPOQUE DE TES GRANDS PARENTS... FINI LES RADIATIONS
PLUS AUCUN DANGER
ALORS POURQUOI VOUS VOUS CACHEZ LÀ-DERRIÈRE !?
!
ÉCOUTE TITEUF... JE DOIS APPUYER SUR UN PETIT BOUTON QUI SE TROUVE DERRIÈRE CE PARAVENT... ALORS NE T'INQUIÈTE PAS...
C'EST MÊME PÔ VRAI!
TU RESTES TRANQUILLE...
Y'A PAS DE DANGER!
SI!!
TU VOIS, JE RESTE À CÔTÉ... MAINTENANT NE BOUGE PLUS... J'ENVOIE UN RAYON QUI...
UN RAYON! J'EN ÉTAIS SÛR! ON M'A ENFERMÉ DANS UNE CENTRALE NUCLÉAIRE... AU SECOURS!
BOM
BOM
BON M... MAINTENANT TU VAS RESTER BIEN SAGE, JE VAIS FAIRE UNE PHOTO, LE PETIT OISEAU VA SORTI
HÉ HÉ
TU AUR UNE BEL SUCETT
C'EST UN OISEAU ATOMIQUE!
PETI
D'ABORD, SI C'EST PAS DANGEREUX, POURQUOI VOUS Y FAITES PAS, VOUS ?!
... ET TITEUF CHAUSSE SUBITEMENT DU 46 À CAUSE DES RADIATIONS ..... ET TU L'AS CRU ?!
HEUU P'PA...
LE GLOBE

INTERROGATION ECRITE : Histoire NOM : Titeuf

L'AMERIQUE

0/10

C'est Christophe Collomb qui a inventé l'Amérique, d'abord il y avait des indiens avec des plumes

Alors ils ont fait la capitale : Donaldville

Mickey c'était le premier président

Après, Donald il a inventé le plat national : le Mac

Les américains ils font presque tous du cinéma et quand ils ont trop de rides, ils deviennent le président

(ça, c'est le costume folklorique)

les américains sont gros parcequ'ils mangent des légumes gros

par ex. champignon

avion

ils enchainaient les
champs de cotton pou
chaines stéreo alors

O SUR 10 ?!..
CE... C'EST TRÈS BIEN TITEUF

?

?

QUAND JE S'RAI GRAND
EK
TERMINATOR
CINEPLUS
STAR PTITEUF
...
AH! TE VOILÀ !.. TU VAS POUVOIR M'AIDER À FAIRE LE MÉNAGE !
WUUUU
BEN QUOI? QU'EST-CE QUI T'ARRIVE ?!
QU'EST-CE QUE J'AI DIT ?
?
BOUAH!

LES COPAINS
... TELLEMENT MIGNONS À CET ÂGE
OUI
TU VAS REGRETTER D'AVOIR PROFANÉ LE TERRITOIRE DE WACONDAH !
UGH !
DAMN IT !
CES DEUX-LÀ ... ILS SONT INSÉPARABLES ...
ON DIRAIT DES PETITS FRERES
TON COLT EST VIDE, CHIEN !
ARGH ! JE SUIS FAIT.. BLOOD AND GUTS !
REGARDEZ-LES.. TOUTE LA FRAICHEUR DE L'ENFANCE...
L'INNOCENCE ...
LE VISAGE PÂLE EST À MA MERCI !
BLOODY HELL !
JESUS JÉOSAPHAT !
BLAST IT !
MAMAN, TU AS UN COUTEAU QUE JE PUISSE SCALPER MANU ?

DIMI
DIMI, C'EST LE PLUS PETIT...
..IL SAIT MÊME PAS ATTACHER SES LACETS ..
?
OH! L'AVION!
... ALORS ON L'EMBÊTE UN PEU...
BOUAH
OUAF
.. L'AUTRE JOUR, IL ARRIVE ...
HÉ! LES MECS ...
... SA MÈRE LUI AVAIT ACHETÉ DES POMPES VELCRO ...
... VIVEMENT UN NOUVEL ÉMIGRÉ POLONAIS ...

LA VISITE
LES ENFANTS, JE SUIS HEUREUX DE VOUS ACCUEILLIR DANS NOTRE BELLE CENTRALE NUCLÉAIRE...
VOUS POUVEZ VOIR ICI DES IMAGES DE PROTONS ET DE NEUTRONS AGRANDIES PLUSIEURS MILLIARDS DE FOIS !!
UNE COUPE DU RÉACTEUR... UNE MAQUETTE...
NE PAS TOUCHER
ET PIS LES BÉBÉS IRRADIÉS QU'ONT DEUX TÊTES, ON VA LES VOIR, M'SIEUR ?
OUAIS... ON VA LES VOIR ?
HAHA ! AMUSANTE LÉGENDE... VOUS ALLEZ VOIR BIEN D'AUTRES CHOSES !
LE SYSTÈME DE REFROIDISSEMENT DU RÉACTEUR !
SUIVEZ-MOI !
ICI, LA RIVIÈRE EST CANALISÉE POUR REFROIDIR LE RÉACTEUR QUI FAIT PLUSIEURS CENTAINES DE DEGRÉS !
ALORS APRÈS ÇA DEVIENT UNE RIVIÈRE NUCLÉAIRE ? C'EST POUR ÇA QU'IL Y A DES MONSTRES DEDANS ?...
DES DRAGONS !
... DES MONSTRES ATOMIQUES AVEC DES PUSTULES, HUIT PATTES, SIX YEUX...
MAIS Y'A RIEN À CRAINDRE PARCE QU'ILS MEURENT DU CANCER...
ÇA SUFFIT ! ARRÊTEZ VOS BÊTISES ! ON POSE DES QUESTIONS INTÉRESSANTES
MAIS ...?
MOI J'AI UNE QUESTION
C'EST VRAI QUE TOUS LES GENS QUI TRAVAILLENT ICI, BEN.. I'ZONT DES ENFANTS CHAUVES ?
C'EST MON PÈRE QU'A DIT...
POURQUOI IL EST DEVENU TOUT VIOLET, LE MONSIEUR ?
T'ES NUL ! PARCE QU'IL EST IRRADIÉ !
ÇA VOUS A PLU, LES ENFANTS ?
SUPEEEEER

LA MALEDICTION DU SLIP
LES COURSES D'ÉCOLE, C'EST NAZE...
TOUT LE MONDE EN RANG !
ON NOUS PREND POUR DES BÉBÉS...
ON-SE-DONNE-LA-MAIN !
ON CHANTE DES TRUCS DÉBILES...
QUI N'AVAIT JA-JA-JA JAMAIS NAVIGUÉ OHEF
IL FAUT PORTER DES SACS BOURRÉS À RAS-BORD
TIENS.. UN SLIP..
MERDE ! MON SLIP
HÉ ! UN SLIP !
À QUI LE SLIP ?!
CHHHHUH
IL Y A UN T BRODÉ DESSUS... C'EST PAS À TOI, TITEUF ?
C'EST PÔ DU TOUT À MOI !
T'ES CON, Y'A PAS DE HONTE... TOUT LE MONDE PORTE DES SLIPS...
BEN CUI-LÀ IL EST PAS-T-À MOI !!
?
QU'EST-CE QUI SE PASSE ENCORE ?
J'AI TROUVÉ LE SLIP À TITEUF, MAIS IL EST PAS À LUI..
IL EST PAS DU TOUT À MOI !!
HI HI HI HI HI
PUISQU'IL EST À PERSONNE, ALORS ON LE JETTE !
ALLEZ.. EN AVANT !
7-12
DIS DONC TITEUF... IL MANQUE UN SLIP.. ?
QUAND JE SERAI GRAND JE POURRAI BOIRE POUR OUBLIER ...

LA MYCOSE
ALORS LES PETITES ZÉZETTES, ÇA POUSSE ?
PÔV' TYPE
PFFF
D'ABORD, LA MIENNE EST AU MOINS AUSSI GROSSE QUE LA TIENNE !
LA MIENNE ELLE FAIT AU MOINS UN MÈTRE !
C'EST PARCE QUE T'AS LE PIQUET..
ARF
PAS COMME MANU !
WAHAHAHAHA !
OUAF
ARF
WAH
ÇA VEUT RIEN DIRE... ÇA POUSSE APRÈS ...
QUAND ON FAIT L'ARMÉ
R'GARDEZ LE MEC !
WAAH ! LUI, IL L'A GROSSE !
TU CROIS QU'IL EST MALADE ?
IL A UNE MYCOSE
MON GRAND-PÈRE A EU LA MÊME CHOSE.. AU PIED.... ÇA ENFLAIT ET APRÈS ON A DÛ L'OPÉRER POUR LUI ENLEVER.
T'ES NUL C'EST PAS PAREIL.
IL A PEUT-ÊTRE L'APPENDICITE ?
BEN NON.. T'ES CON ON LA LUI AURAIT COUPÉE ...
C'EST UNE MYCOSE GÉANTE
MAIS NON ... APRÈS L'OPÉRATION, ON T'EN GREFFE UNE AUTRE ...
J'AI VU ÇA À LA TÉLÉ
ALORS C'EST PEUT-ÊTRE ÇA !
EN TOUT CAS, LUI, ON LUI EN A GREFFÉ UNE D'ÉLÉPHANT !
LA VAAACHE !
TU CROIS QUE C'EST POSSIBLE ?
BIEN SÛR QUE NON.. C'EST PAS POSSIBLE. C'EST JUSTE UNE MYCOSE AU ZIZI !
C'QUE VOUS ÊTES NULS !
D'ÉLÉPHANT C'EST P'TÊT' PAS POSSIBLE, MAIS DE CHEVAL, ALORS ...
VA LUI DEMANDER
PARDON M'SIEUR, ON VOUS A GREFFÉ UNE QUÉQUETTE DE CHEVAL OU D'ÉLÉPHANT ?
OU BIEN C'EST UNE GROSSE MYCOSE ?
C'EST UNE MYCOSE... PARCE QUE MON FRÈRE EN A EU UNE ET IL ÉTAIT DE MAUVAISE HUMEUR AUSSI...

PROUT
LE MEILLEUR MOMENT DES COURSES D'ÉCOLE C'EST LE SOIR DANS LE DORTOIR...
LES MECS !
CHUT.
TA GUEULE HUGO !
NON MAIS... VOUS ENTENDEZ RIEN ?
BEN NON, QUOI ?
BEN... L'ORAGE
Y'A PAS D'ORAGE
SI ! ÉCOUTEZ BIEN.. GNNNNN
PROUT
QUEL PORC !
ON VEUT DORMIR
POUAH ! ÇA SCHLINGUE !
HA
HA HA
OUAF HA
ET CELUI-LÀ... GNNN
DEGUEU'
HA HA HA
BRAFT.
LES MECS ! UN AVION À REACTION !
PWÂ
HA OUAF HA
VOUS FAITES CHIER ! ON PEUT MÊME PAS DORMIR !
HA
WÔÔÔ TU SAIS CE QU'ON TE RÉPOND ?
HA
ÇA T'FAIT DE LA BUÉE SUR LES LUNETTES ?
PROOOT
ET TOI TITEUF ?
ATTENDS... ÇA VIENT.. GNN
DITES DONC ! C'EST FINI CE CHA... !?
PRO
VOUS EN FAISIEZ DU BRUIT, HIER SOIR...
OUAIS, C'EST TITEUF ...
QUEL PORC
VRAIM INFEC
ÊÊÊH
MOI, JE L'APPROCHE PLUS

LA RENTRÉE
À CHAQUE FOIS, LE PREMIER JOUR, C'EST COMME ÇA
MOI J'AI ÉTÉ À LA MER ..
MOI À LA MONTAGNE
SUR UNE ÎLE... Y'AVAIT DES REQUINS !
MOI CHEZ TONTON LOUIS
MOI
CHEZ MÉMÉ
MOI
AU CAMPING DES FLOTS BLEUS
IL FAISAIT 50°
À NAIVIORK
SI C'EST VRAI
BEN MOI, CETTE ANNÉE, JE POURRAI LEUR DIRE QUE J'AI PRIS L'AVION ...
QUE J'AI VU LE SPHINX ...
CLIC
CLIC
.. LA MOMIE DE RAMSÈS II ...
FLASCHH
... LA GRANDE PYRAMIDE ...
CLIC
CLIC
CLIC
CLIC
CLIC
CLIC
... LE TOMBEAU DE NÉFERTITI ...
TITEUF !
CLIC
FLASH
CLIC
... LA VALLÉE DES ROIS ...
ON A UNE VUE D'ENSEMBLE ...
TOKYO-LI
ET TOI ,, TITEUF, T'AS ÉTÉ OÙ EN VACANCES ?
AU JAPON !

LE MUSÉE
...ET VOUS POUVEZ ADMIRER DE PRÈS TOUTES SORTES D'ANIMAUX SAUVAGES ...
PERCUS
...TOUS MAGNIFIQUEMENT EMPAILLÉS ...
C'EST DINGUE ! ON DIRAIT QU'IL VA BOUGER ...
WAAAH !
GUILI ! GUILI !
T'ES CON, ARRÊTE !
GNIK GNIK
BEN QUOI... IL EST MORT, D'TOUTES FAÇONS ...
TU PARLES ! IL EST PAS DU TOUT MORT !!
...PUISQU'IL EST EMPAILLÉ... ?
HA-HA- TU SAIS MÊME PAS C'QUE ÇA VEUT DIRE "EMPAILLÉ"
ÇA VEUT DIRE QU'ON LUI A FAIT MANGER PLEIN DE PAILLE, COMME ÇA IL VIT POUR TOUJOURS !
OUAIS BEN JE L'SAVAIS !
POUR TOUJOURS ...T'ES SÛR ?
OUAIS
TCHEUUU
TES PARENTS VONT ÊTRE DRÔLEMENT SURPRIS ...
OUAIS
MEOOOWGLB
QU'EST-CE QUE VOUS FAITES, LES ENFANTS ?
FOIN

LE CANARD SEXUEL
VOUS VOULEZ UN BONBON ?
NAN !
ECOLE
UN BONBON, PETIT ?
NAN !
ON EN VEUT PAS DE VOS BONBONS À LA PATATE POURRITE !
POURQUOI PERSONNE EN VEUT DE SES BONBONS ?
PARCE QUE LA MAÎTRESSE A DIT QUE C'ÉTAIT UN PERVERS ...
ÇA VEUT DIRE QUOI PERVERT ? C'EST SES BONBONS QUI SONT PAS MÛRS ?
HEU.. OUAIS J'CROIS
MOI J'SAIS LES MECS ... 'FAUT PAS ACCEPTER SES BONBONS PARCE QU'APRÈS IL T'EMMÈNE CHEZ LUI.. ET VOUS SAVEZ POURQUOI ? ...
BEUUUH ..
POUR FAIRE DES JEUX SEXUELS OUAIS !
DES ... DES JEUX SEXUELS.. ÇA SE JOUE COMMENT DÉJÀ ?
BEN HEUUU...
DES JEUX SEXUELS ?
C'EST SÛREMENT DES JEUX TOUT NU
MAIS C'EST DÉGUEULASSE !

T'EN CONNAIS, TOI DES JEUX SEXUELS ?
BEN OUAIS .. HEUUU... C'EST LES MÊMES MAIS TOUT NU ...
LES BILLES SEXUELLES ...
LA MARELLE SEXUELLE ...
LE GAMEBOY SEXUEL
LA MARELLE SEXUELLE !! TOUT NU AVEC LES FILLES ?!
ÉÉÉÉH
ET PIS ÇA DOIT FAIRE MAL AUX PIEDS ...
PAR EXEMPLE.. LE FOOT SEXUEL, T'AS PAS DE MAILLOT ...
ALORS COMMENT TU FAIS POUR RECONNAITRE L'ÉQUIPE ?
CH'AIS PÔ
Y'A P'TÊT PAS LES MÊMES RÈGLES ...
... MAIS J'CROIS QUE L'ARBITRE Y GARDE SON SIFFLET
'JOUR 'MAN...
AH TITEUF ! TE VOILÀ ENFIN.. J'AI FAIT COULER TON BAIN
TOUT NU..
J'AI OUBLIÉ DE METTRE TON CANARD.. TU LE VEUX POUR T'AMUSER ?
POUIC
POUIC
NAN ! J'VEUX PAS L'CANARD ! J'SUIS PAS D'HUMEUR À JOUER À DES JEUX SEXUELS !! VOILÀ !
?
... FAUT PÔ EXAGÉRER..
QUAND MÊME.
FIN

VOUS AVEZ DES PIN'S ?
SEXUAL TRIATHLON
LIVRÉ AVEC BONBONNE
CUL MAGAZINE
SUPER X
FEUX ARDENTS
BEBE CONDUM
ZEP

Chaque mois, retrouve
titeuf,
Malika Secouss,
Samson et Néon,
Franky Snow,
Marie Frisson,
Tony et Alberto,
Smax, Raghnarok,
Mix et Remix, des gags,
des jeux, des strips, des cadôs...
dans
tchô!
tchô!
tchô! en kiosque tous les mois, à lire dans toutes les cours de récré...